HIVER
NUCLÉAIRE

CAB

HIVER
NUCLÉAIRE

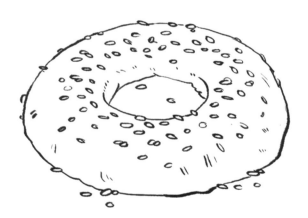

FRONT FROID
PROMOTION DE LA BD QUÉBÉCOISE

Préface

J'ai toujours eu un « livre idéal » à l'esprit en pensant à la ligne éditoriale de la collection Anticyclone. Ce n'est pas exactement un livre, en fait. Il s'agit plutôt d'une collection de qualités qui me guident dans mon appréciation des projets qui nous sont soumis. Aucun livre ne les regroupent toutes, évidemment. Un bon livre doit aussi être le fruit d'un travail artistique singulier.

Je dois toutefois avouer avoir été frappé par ma première lecture d'Hiver Nucléaire. Avant la fin de sa publication en ligne, nous savions qu'il fallait absolument publier ce livre. Caroline s'est sûrement demandée pourquoi je lui ai fait « promettre » autant de fois de nous envoyer son projet pour publication. Voici donc.

Se limiter à la thématique météorologique du projet et y voir « un signe du destin » ne saurait rendre hommage à la bande dessinée de genres de Caroline Breault. Ce récit hybride à la fois drôle, sarcastique, enlevant et touchant louvoie sans jamais s'essouffler entre l'action et la comédie (je suis tenté de dire « comédie sociale », même). Son Montréal irradié nous fait bien sûr rêver de créatures monstrueuses et d'aventure, mais il nous met aussi en face d'une jeune femme en crise qui, comme son île, tente de survivre à un environnement hostile.

Caroline vient brouiller les cartes de la catégorisation, comme plusieurs grands l'ont fait avant elle, explorant ainsi le spectre infini de récits que peut produire le mélange des genres. Ce mélange est la richesse que veut développer la collection Anticyclone, et c'est pourquoi nous sommes fiers de compter Hiver Nucléaire parmi nous.

Gautier Langevin

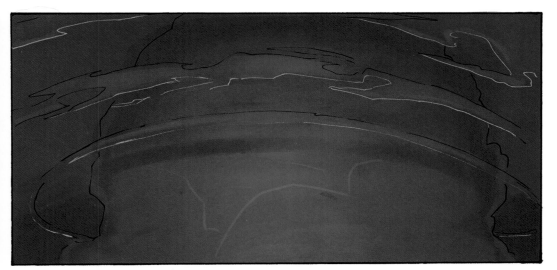

Hiver
nucléaire

Chapitre 1
La tempête de la St-Jean

J'ai besoin d'aller me reposer au plus vite...

Vivement la maison...

Oh Fred, je pensais que tu travaillais cet après-midi?

Au moins je sais que c'est pas toi qui as failli me ramasser tout à l'heure.

Un vrai danger public, les grattes.

J'ai échangé de shift avec J-P. Je dois repartir tantôt.

As-tu acheté du lait?

Ben oui. Pis du café, et du beurre de pinottes.

Et je t'avertis, si tu touches encore à mes Whippets, je te tue. Compris?

Si tu travaillais pas ce matin, ça te tentait pas de faire la vaisselle, ce que t'avais promis de faire hier? Ça et déneiger le toit? C'est moi qui l'a fait les trois dernières fois!

Raaah, t'es ben chialeuse aujourd'hui, Flavie!

ACCIDENT À GENTILLY-3

The Gazette

72th MONTH OF WINTER

journal montréal SCANDALE

PÉDOPHILE à la BIBLIOTHÈQUE

FUITE RADIOACTIVE AGENT 17-B

Le guide des raquettes

(M'as t'en faire moi, chialeuse...)

Ah... une chance qu'il y a le thé et les Whippets dans la vie...

Ah non! Pas encore!

Voyons, qu'est-ce qui se passe?

Une autre bordée de neige! Ils disent qu'on devrait recevoir au moins quarante centimètres.

La troisième en cinq jours, ça a pas d'allure!

On travaille comme des fous à enlever ce qu'on peut mais ça sert même plus à rien.

L'équipement en arrache, les gars sont brûlés et la ville nous doit neuf ans de temps supplémentaire.

On a dû abandonner le déneigement au nord de Jean-Talon pour se concentrer sur le centre-ville...

Un autre quartier d'enterré... Au moins on est corrects ici.

Qui aurait cru que l'hiver durerait si longtemps...

HORS-LIMITES
AUCUN SERVICE PASSÉ CE POINT
VILLE DE MONTRÉAL

L'idée aussi de construire une centrale nucléaire à Montréal.

C'tait sûr qu'un jour ou l'autre, un accident allait arriver.

Bon bon, c'est qui le chialeux astheure?

C'est pas pire que tous les autres hivers montréalais. C'est juste un peu plus long.

Justement, y'avait déjà rien de pire de ces trois mois de froid humide pis de slush!

Moi j'aimais ça aller sur des terrasses avec mes chums, aller au chalet, pis pas devoir m'habiller pendant cinq minutes à chaque fois que je dois aller au dépanneur.

Pis les canicules, les vidanges qui puent, les piscines publiques...

Flavie, tu sortais jamais à l'université, pas étonnant que t'aimes mieux cet hiver de marde qui force tout le monde à rester en dedans, à tricoter comme des vieilles femmes seules.

C'est ça, va donc prendre une frette en gougounes s'a terrasse du St-Sulpice avec les cocottes qui ont pas compris que c'est plus l'temps de se montrer le g-string!!

Ben oui, c'est ça, Gertrude.

VA CHIER!

POF.

Haha, à plus tard!

Gros colon, même pas fait la vaisselle, grmblrmgmg.

TABARNAK de CALISSSS

MON SKI-DOO!

...les préparatifs pour le traditionnel défilé de la St-Jean-Baptiste se déroulent rondement, et ce, malgré une autre chute de neige attendue demain après-midi...

C'est ben plus beau en hiver, la St-Jean, d'abord.

Cette fête nationale sera d'ailleurs la neuvième à se dérouler sous la neige, depuis l'accident à la centrale nucléaire de Gentilly-3, à Pointe-aux-Trembles. Allons à la météo voir ce que nous réservent les prochains jours d'hiver nucléaire...

MÉTÉO 7 JOURS

-21°c -23°c -17°c -21°c -14

DRING!

Pas la job, pas la job, pas la job...

DRING! DRING!

Allô?

Yo Flavie! Tu réponds pas à ton cellulaire?

Oh salut Léonie! Ça va?

Ouais, ça va. Euh, j'ai... quelque chose à te demander et je sais que tu vas m'haïr alors je vais t'amadouer avec de la poutine.

..OK shoot.

Bon, j'ai comme rencontré un gars hier, à La Distillerie, je te jure un maudit pétard mais l'affaire c'est qu'il part à Québec après-demain et...

...Et tu veux que je couvre tes livraisons demain, c'est ça?

Tu serais la meilleure amie au monde!!

Ben oui, je vais te faire c'te faveur là, tout pour ta trépidante vie sociale! Mais je t'avertis, ça va te côuter cher au Déli!

Merci! On ira dîner demain, chez Ouelette, je te paie la traite!

Alright, à demain!

Ouais, et merci encore!

Bon ben ma journée de congé vient de prendre le bord.

SsHHHH

BONES PLEIN AIR

Maudites retombées...

Ça commence à devenir sérieux.

K K K K K K K

Le mieux c'est de pas y penser.

Comme promis, le dîner est sur mon bras!

Ah, si tu l'avais vu, il est tellement beau! Ça fait changement de la faune locale...

Beh, qu'est-ce qu'ils ont de pas correct, le monde de Montréal?

Euh, ben, pour commencer, neuf ans d'exposition aux radiations de Gentilly-3?!

Moi je trouve que ça rend le monde ben plus intéressant!

Mouais... mais avoue que ça devient bizarre des bouttes.

Je me demande si un moment donné je vais sortir avec un... euh, un...

... mutaté?

J'aime pas le mot "mutant". Trop science-fiction.

Hahahah! Mutaté! Où t'es allée chercher ça?!

Ouais, bon, dis pas ça trop fort, c'est un peu offensant.

Ben non...

Ça me fait un peu peur toutes les radiations...

Écoute, on a pas le choix. Ça se peut qu'un jour, un bras nous pousse dans le front. C'est pas la fin du monde.

Parle pour toi!

Ah oui, j'oubliais la fameuse "beauté intérieure"! C'est vrai que y'a rien comme une personalité avec un six pack!

Niaise-moi donc. Au diable les apparences!

Et pis les normes de beauté et...

..les très belles personnes...

... Flavie?

Allô?

Oh, c'est Marco! Je comprends ta face, là.

Quelle face?! J'ai pas fait de face! De quoi tu parles?

C'est une réaction normale, même pour toi. J'imagine que t'as jamais entendu parler de Marco?

...Non.

Tout le monde connaît Marco. Il a les meilleurs partys, fréquente les gens les plus cool, habite l'appartement le plus fou du Mile-End...

C'est tout?

Je pensais qu'il avait sauvé des enfants d'une avalanche, ou quelque chose du genre. Il a un appartement dans le Mile-End, big deal.

Je me demande pourquoi la ville déneige encore ce quartier-là anyway.

Tsé, Flavie, pour les gens qui ont une vie sociale pis qui sortent, c'est important ces choses-là.

Faut quand même que t'avoues qu'il est vraiment méga ultra cute.

Hahaha! J'y peux rien!

Voyons, fille, c'est vraiment tout ce qui t'intéresse!

POK

C'est vrai que tout le monde ici a l'air de le connaître.

Tiens, comme d'habitude!

En passant, trop malade mental le party de lancement des Cactus Fluos, chez vous!

Scuse...

Scuse...

Heille!

QUOI!?

J'veux pas interrompre ta conversation mais ça fait au moins vingt minutes qu'on attend notre bouffe.

On est ben occupés aujourd'hui, *madame*. J'vais aller voir la serveuse.

Bon ben je te rejaserai plus tard. Tu vois avec quoi je dois dealer toute la journée?

Terrible, en effet.

Fallait que tu fasses une scène là, là, devant... tu sais?

Mais on s'en fout! J'ai faim et je veux pas arriver en retard.

Pis avec la neige qui s'en vient, tout le monde va se garrocher sur le téléphone pour des livraisons, alors je veux au moins avoir le temps de mettre du gaz dans le ski-doo.

T'es une fille pratique, on peut pas nier ça! J'aurais confié mes livraisons à personne d'autre.

Aw, arrête.

C'est vrai! T'es quasiment la seule qui livre en dehors du périmètre déneigé. Je sais pas comment tu fais pour toffer des rides aussi longues...

Je sais pas... j'aime pouvoir me promener en ville et être payée pour.

Et puis y'a quelque chose de reposant à être seule au milieu de tout c'te neige-là.

J'pense que chacun a besoin de tranquillité de temps en temps.

Et voilà...

Un cheeseburger double extra bacon, une grosse poutine extra fromage, une grosse root beer et...

Un gâteau triple chocolat avec crème glacée.

Et une soupe du jour pour vous.

Juste un cheese?

T'es ben raisonable aujourd'hui!

J'ai peut-être abusé avec le gâteau...

Hahaha, tu sais ce qu'on dit...

L'appétit, c'est la santé!

J'en reviens pas! Viens-tu de te faire crui—

Ta gueule pis mange ta soupe.

Je me sens un peu cheap de te refiler mon shift à la veille d'une tempête comme ça.

Bah, inquiète-toi pas, c'est pas comme si c'était la première bordée de neige dans laquelle je devais faire des livraisons.

Et puis, avec le nombre de courriers chez Livraison Blizzard, je suis sûre que je ferai pas plus qu'un ou deux voyages dans le coin du centre-ville.

Ouais, j'imagine. En tout cas, merci encore. Je t'appelles demain?

Et tu vas me conter tous les détails, même si c'est ben trop personnel, hein?

Comme d'habitude!

LAVOIR 24

Fais attention sur la route!

Boulevard
Saint-Laurent

Ah, le trafic pré-tempête...

On dirait que tout le monde est fébrile avant l'arrivée de la neige.

En tout cas, si la pression continue de baisser comme ça...

Ça va en être toute une.

C'tait tu ta dernière?

Ouais, crois-moi que je me suis arrangé pour pas travailler pendant la tempête.

Léonie devait pas rentrer aujourd'hui?

Non, c'est moi qui couvre ses livraisons.

On était supposé aller prendre un verre pour la St-Jean à soir!

Eh ben.

Euh... je vais sûrement finir tard, tu sais, la tempête...et j'ai... euh... j'ai des choses à faire ce soir.

Désolée.

Et pis, euh... tu peux venir si tu veux, après tes livraisons.

On va chez Baptiste.

Pensais-tu vraiment qu'elle allait dire oui c'te fois-là?

Je l'sais ben... mais ma blonde aurait aimé ça avoir une autre fille à qui jaser.

Même si c'est juste Flavie...!

Hahahahah!

... Désolée madame, on se rend pas jusque-là, surtout en veille de tempête. Non, c'est tout récent, nouvelles règles municipales...

Marie, je voulais juste te dire que je remplace Léonie cet après-midi.

Oh, attendez!

Oui, excusez-moi, on a quelqu'un pour vous finalement. Donc, l'adresse?

6099 Waverly, parfait. Oui, c'est garanti, vingt-cinq minutes. Au revoir!

Noooon non, non!

Marie! C'est juste à avant les tracks! Comment veux-tu que j'arrive là en vingt-cinq minutes, dans une zone qui est sur la limite des services?!

Pas en restant plantée ici, ma belle.

T'as vingt-quatre bagels all dressed à aller chercher au Fairmount. V'là tes infos.

Ça paraît que c'est pas elle qui se tape le trajet à moins quinze degrés!

SLAM!

Chapitre 2
Alerte météo

Ouais, c'est vraiment limite...

Ça va faire
dix et vingt...

Eille, t'es la fille
de tantôt, au Déli!
Le gros gâteau
au chocolat!

Ouais...
le monde
es...

*GODDAMN,
ON VA
MOURIR
DE FROID!*

Rentre deux
minutes que
je trouve
du change.

J'ai vraiment
pas beaucoup
de temps.

Eille, qui a du
change pour la
livreuse? Je paie
pas c'te fois-là.

T'as beaucoup
de colocs en
tout cas...

Oh, non, ils habitent pas ici. On a eu un party pré-St-Jean hier. Et avant-hier, c'était le lancement du EP de mon ami Jason...

Y'avait le vernissage de Katelyn la journée d'avant.

Ou c'était pas la semaine passée?

C'est qui la p'tite grosse avec Marco?

Ça t'arrive pas de vouloir la paix un peu? Moi ça me rendrait folle d'avoir du monde qui squatte chez nous tout le temps.

C'est une drôle de question à poser, ça.

Je trouve pas...

Hahaha! C'est juste qu'on a la place pour, on a plus de voisins depuis un bout, ben des amis communs.

Ben y'a des amis qui couchent sur le divan de temps en temps, mais j'habite avec—

"On"? Je pensais que t'avais pas de colocs?

MARCO!! *C'EST BEN LONG!*

J'arrive, j'arrive.

Videz vos poches, c'est vous autres qui vouliez des bagels.

No freakin' way man, ça fait ben plus que vingt-cinq minutes que j'ai appelé!

Ça devrait être gratuit!

Yeah dude, ils doivent être super froids.

Come on, vous avez vu le temps qu'il fait dehors?

Okay, whatever.

Mitch, c'est à ton tour de payer.

Hein? No way!

Tu me dois du cash pour la caisse de bière de hier!

J'ai payé les billets pour le show des Opportunistic Beavers!

Pis ils étaient nuls. Leur claviériste est pourri.

C'est le son au Cagibi qui est poche. Leur café est même pas bon en plus.

Oh, avez-vous entendu le nouveau single de Manon McDougall? J'ai acheté le vinyle édition limitée!

Signé en... plus... son show était... euh...

C'est pas ma sorte.

J'avais dit "all dressed", sans oignon, extra raisins!

Hé ho, moi j'avais juste "all dressed" sur ma commande!

Depuis le temps qu'on est ensemble, tu devrais savoir que j'*hais* les oignons dans mes bagels! Je veux qu'elle aille me chercher un autre sac au Fairmount.

. . .

Écoute, je suis désolée pour tes oignons mais on livre même pas jusqu'ici d'habitude, et je retourne certainement pas au Fairmount pour un caprice comme ça.

Là, faut que je parte avant que la tempête se lève pour vrai.

#bagelFAIL
#omgdrama

Alright, j'imagine que Claire va se faire un devoir de dire à son amie Marie, la boss de "Blizzard Express" que la courrier était pas à l'heure, qu'elle avait une... attitude et que la commande était pas bonne. Right, Claire?

Euh... ouais...

Y'en reste pas beaucoup de jobs à Montréal, et le chauffage, c'est rendu tellement, tellement cher!

... Sans oignon, extra raisins. Noté.

Je l'sais que tu voulais juste la faire chier, Jenny. Ça avait rien à voir avec les bagels, hein?

Haha, peut-être. Je voulais juste voir sa réaction.

Et puis tu devrais savoir...

...j'ai toujours ce que je veux.

Je l'sais, pis ça commence à te monter à la tête. Tu traitais pas le monde comme ça, avant.

Hey!

Qu'est-ce que ça veut dire, ça?

MARCO!!

#superdrama
#chicanedecouple

MARCO!!
REVIENS ICI!!

Pauvre gars, je le plains.

Hep, par ici.

!

Euh... qu'est-ce qu'on fait ici?

Je ramasse mon coat, je vais aller au Fairmount avec toi.

Ben... c'est gentil mais je crois pas que ce soit nécessaire, ou sécuritaire.

Je peux pas te laisser partir dans la tempête. Pis je sais exactement quelle sorte de bagels Jenny veut.

J'espère que tu lui en veux pas trop. Elle est pas toujours comme ça.

Bah, c'est pas la première personne qui me donne de la marde aujourd'hui. Ça fait partie de la job.

Je sais pas si c'est vraiment le temps de faire du ménage de papiers mais il faudrait vraiment partir bientôt.

Ouais, je sais, donne moi une seconde.

Je veux juste pas laisser mes notes traîner.

Coudonc, c'est tu des secrets d'état que tu caches comme ça?

Oh non, c'est ben plus important.

Avec le monde qui se tient ici, moi aussi je m'arrangerais pour garder mes affaires personnelles cachées.

Hahaha! T'es la livreuse la plus baveuse que j'ai jamais rencontrée!

En fait non, t'es la première à qui je dis plus que "garde le change, merci".

D'ailleurs, je t'ai pas demandé ton nom...

Et tu en connais beaucoup, des courriers?

Flavie! Et toi, c'est Marco! Ça me cille encore dans les oreilles.

En effet...

Bon, c'est pas tout, mais faut y aller avant que je puisse plus retrouver mon ski-doo!

T'es sûr que tu veux venir? C'est plus intense que ça en a l'air, des tempêtes comme ça.

C'est juste de la neige pis un peu de vent, ça peut pas être si pire.

Tu disais?

Allez, on décolle.

Merde!

On vient juste de partir et je sais pas du tout où on est rendu!

La neige change le paysage, c'est normal de perdre ses repères.

Mais je suis en train de perdre le signal GPS à cause de la charge magnétique de la tempête et sans ça, on est vraiment perdu...

On devrait peut-être revirer de bord.

Je peux dealer avec la tempête, mais pas avec ta blonde.

Il faut juste que je spotte quelque chose pour m'orienter et on devrait être corrects.

Ah tiens!

On devrait au moins pouvoir trouver une place à l'abri du vent, entre les sweatshops, le temps que ça se calme un peu.

J'ai entendu des histoires pas rassurantes sur c'te beau coin-là...

Moi aussi mais on a pas trop le choix.

Je veux arrêter deux secondes pour essayer de retrouver le satellite.

Y'a vraiment rien à faire, c'est jammé ben raide.

Euh... Flavie, je sais pas si c'est moi mais on dirait que la neige monte...

Cibole!

Si c'est ce que je pense, faut vraiment pas rester à découvert comme ça!

Hein?

La tempête a atteint une pression critique!

La neige se supercondense et on veut pas être là quand ça va tomber, crois-moi.

Okay mais je comprends absolument rien de ce que tu racontes.

GAAAH!!

KRASH!

AAAAA

MARCO, VITE!

KLANG!

AAAAAAM

KRAK!

Ouan, c'tait pas pire intense, ça.

HUR HUR

"Pas pire intense"?

On a failli mourir! Avoir su qu'on allait recevoir des flocons de six pieds s'a tête, je serais pas venu!

Je t'ai averti que ça allait être désagréable, c'est toi qui as insisté pour venir!

Si tu faisais autre chose que des partys, tu saurais qu'un hiver nucléaire, c'est pas une partie de plaisir!

Coudonc, c'est quoi ton problème avec mes amis, ma blonde pis ma vie? T'as pas arrêté de faire des remarques chiantes!

Pff, c'est n'importe quoi, franchement.

Moi je voulais juste te tenir compagnie, t'sais. Je me disais que ça allait rendre le trajet moins plate pour toi.

Je sais, 'scuse-moi.

J'ai juste plus de patience pour les situations comme ça.

Quelles situations?

Les clients capricieux, attendre pour être payée, les gens qui pensent encore que tout peut se livrer en dedans de trente minutes, peu importe la météo.

Ça paie pas pire être courrier, mais avec la neige qui avance et les tempêtes comme celle-là... je sais pas combien de temps encore je vais pouvoir faire ça.

J'avoue...

Tu veux pas changer de job pour quelque chose de plus relax? Dans un café, une boutique?

Nah. Je suis pas faite pour travailler avec le public. Ou avec les gens en général.

J'étudiais en science de la météo à l'UQAM mais j'ai jamais fini, à cause de l'accident.

Ça nous a quand même sauvé la vie tantôt!

Peut-être mais ça aurait été ben plus wise de juste pas sortir, aujourd'hui. Ça prend pas un BAC pour savoir ça.

Calvaire!

J'aurais pas dû laisser Jenny avoir raison, c'est de ma faute si on est pogné ici.

Pardon?!

Marco, je sais pas pourquoi tu t'acharnes à la défendre. Ta blonde, c'est une maudite folle et t'as pas à te blâmer pour quoi que ce soit.

"Folle", c'est un peu fort...

... Mais c'est pas faux.

Je l'sais que c'est dur à croire en ce moment mais Jenny est vraiment une fille cool.

On allait voir des shows locaux, on faisait des soupers entre amis, on avait du fun ensemble!

Mais Jenny voulait faire partie de la clique du Mile-End, se faire voir avec des gens "cools".

Elle est devenue accroc à la présence constante des gens, à l'attention, aux p'tits drames, aux potins pis aux mauvaises critiques de shows.

Depuis qu'elle a sa coupe de cheveux asymétrique, je la reconnais plus...

C'est ordinaire...

Même si je vois vraiment pas le rapport avec la coupe de ch'veux, mais bon.

J'te l'dis!

Anyway, 'scuse de t'emmerder avec mes histoires. Ça fait du bien de jaser avec quelqu'un qui risque pas de rapporter ça au cercle infini d'amis et d'espions de ma blonde.

Pas de danger!

Bon, ça a l'air de se calmer dehors, on va pouvoir repartir.

G-g-good parce que moi, je sens plus mes extrémités.

T'as pas froid, toi?

Bah, j'ai jamais été frileuse.

J'veux ben croire mais...

Tu veux la preuve?

Woaah! T'es bouillante!

Bah, euh, tu sais, c'est surtout une question d'équipement. Le bon manteau, les mitaines chaudes...

Euh... ouais, j'imagine.

D'ailleurs, j'ai toujours du linge de spare. Ah, tiens! Ça devrait empêcher tes oreilles de tomber d'ici à ce qu'on revienne chez vous.

J'aime quasiment mieux avoir frette...

La vie c'est pas une parade de mode, hein.

Faut juste pas que je vois du monde que je conn—

Oh, j'avais oublié que j'avais acheté ça tantôt!

J'ai pogné une demi-douzaine de bagels sésame pour moi, en passant au Fairmount.

Mes préférés!

Bon, ça va faire le niaisage, on a une livraison à finir!

J'pense que c'est le pompon le problème. Ouais.

T'aurais pas une paire de ciseaux?

...

Tu me dois une tuque.

C'est peut-être une décharge sauvage.

Voyons, c'est ben le bordel *ici!*

En tout cas, c'est récent et c'est dangereux. Le pire qui pourrait arriver c'est que quelque chose pogne dans la chenille du ski-doo.

Et ça c'est la deuxième pire chose qui pouvait arriver.

Gaah, on sortira jamais d'ici! Peut-être qu'on est dans un labyrinthe sans issue, tu sais, comme dans le film avec David Bowie...

Marco, écoute!

Ça vient de la ruelle...

On dirait un animal ou quelque chose comme ça. J'vais aller voir.

Hey, non! Flavie, c'est plein de traces de pas, qui sait qui ou quoi rôde dans l'coin...

Flavie!

J'veux juste jeter un coup d'oeil, ce sera pas long!

C'est juste un bébé!

T'as pas l'air trop commode.

Mais je vais te sortir de là.

Les bagels, ça calme les esprits, hein?

Bon, allez, dehors!

C'est dégueulasse, enfermer des animaux de même.

Ben voyons!

Y'a pas de quoi...

...capoter...

Shit!

OK, je m'excuse de voler votre lunch mais c'est pas bien de manger des bébés ratons!

Chassez des cannes de bines! C'est plus nutritif et moins cute!

Toi, dans la capuche! On se pousse!

Gaah!

Eille, non, ark, ark, non, non

Marco, cours!

WOOSH

CRASH

Essaie même pas de faire un pas de plus.

Je manquerai pas ma shot la prochaine fois.

. . .

KAÏ KAÏ KAÏ!!

Flavie!

Ça va aller?

Ouais.

Donne-moi une minute.

J'haïs filer de même.

Maudites radiations.

J'aurais pas dû pogner les nerfs de même. Tu dois me trouver super weird.

Tu veux rire?!

C'tait malade! T'as tellement kické leurs culs, c'tait la rince du siècle, style warrior level 75 extra brutal!

T'es un peu irradiée, so what? Ces deux bums-là l'avaient ben pire que toi.

Mouais... Dans mon cas ça paraît pas... sauf quand je me fâche.

J'ai de la misère à m'empêcher de virer "warrior level 75" comme tu dis.

Ahem, ouais bon, c'est juste une expression.

Haha essaie pas, j'ai vu tes livres de Donjons et Dragons dans le bas de ta bibliothèque.

Dis jamais ça à personne!

J'tais vraiment geek au cégep, Jenny se moquerait de ma gueule à l'infini si elle apprenait ça.

D'accord, je dirai rien. En échange, parle pas de ce qui vient de se passer.

Pourquoi pas?! C'est tout un talent que t'as!

Pas vraiment...

Je deviens méchante quand je suis stressée. J'ai déja cassé la gueule à un gars dans un party parce qu'il harcellait ma chum Léonie.

Ça a gâché l'ambiance mettons. Ça a parti des rumeurs, y'a du monde qui ont arrêté de me parler.

Je comprends.

Au moins en ski-doo, personne peut me gosser!

La job de courrier, c'est pas mal la seule chose que je puisse faire. Je sais pas si ce sont les retombées ou l'habitude, mais je commence à croire que j'étais faite pour l'hiver.

Moi j'ai juste hâte que ça finisse!

En attendant, on a deux livraisons à terminer. Je fantasme déjà sur une grosse tasse de chocolat chaud après ça...

...Deux livraisons?

Autant que j'aimerais garder Marcel, les ratons polaires ça devient pas mal trop gros pour mon 4 et demi.

On va le laisser au pied du Mont-Royal avec le reste de la bande.

Marcel, c'est pas un nom de raton, ça.

Ah non? Peut-être que t'aimerais mieux "Bilbo" ou "seigneur Gardakan"?

Haha. Super drôle.

Moi je trouve! Hahaha!

Chapitre 3
Faut pas juger un livre...

Ouan ben j'suis pas déçu de retrouver la civilisation.

Moi aussi. J'suis totalement crevée. Assez d'aventures pour un maudit bout.

Le congé de la St-Jean-Baptiste arrive juste à temps.

Défilé de la St-Jean Baptiste

24 juin

TOURISME MONTRÉAL

Pour moi, ça veut dire des partys non-stop pour trois jours, du monde qui vomit dans mon bain pis des botchs de cigarettes sur mon divan.

Wow, génial!

J'ai plus jamais l'temps d'écrire!

Les bums de tantôt m'ont donné plein d'idées pour mon projet de roman.

WAVERLY
BERNARD

Je savais pas que t'écrivais!

En fait, tu fais quoi dans la vie, à part avoir une réputation?

Bah, je vais voir des choses et j'en parle.

Je fais quelques chroniques dans une couple de blogues. Des fois je fais des critiques de livres, de shows, de musique, ce qui passe.

Bon, faut juste que je trouve ma blonde, qu'elle puisse enfin te payer ta livraison.

Le plus vite possible, s'il-te-plaît.

Tu devrais rester, au moins pour une bière!

Allô!

S'up!

Marco, yo comment ça va!

Merci mais je pense que c'est pas trop mon genre de party.

?

Euh...

Marco, quelqu'un est entré dans ton bureau... Tu devrais venir voir.

Marco?

Marco, attends!

Hep!

My god, qu'est-ce que t'as sur la tête?

Ça s'appelle une tuque. On porte ça dehors, pendant l'hiver?

Mais tassez-vous, bout d'viarge! J'ai une livraison à finir!

Qu'est-ce qu'elle fait ici, *elle*?

...

On a manqué de crever à cause de tes maudits bagels fancy! Je suis ici parce que je veux mon argent, pis après, je sacre le camp.

J'ai changé d'idée, on a fait venir du chinois à la place. Anyway, c'tait trop long, moi je paie pas pour ça.

Ah come on Jenny! Ça a été un chiard aller chercher ça!

Y'avait rien qui t'obligeais à partir avec la courrier. Ou peut-être tu reluques les p'tites toutounes maintenant?

Whatever. Moi j'ai autre chose à faire que me faire insulter.

Ciao.

Flavie, non, attends deux minutes, je vais payer, moi!

Sérieux Jenny, tu te surpasses! La grande classe!

Vas-y Marco, va sauver ta demoiselle "Zelidia" comme ton héroïque "Malkhev le dragonier d'Argent!"

!

Qu'est-ce que t'as dit?

"... les yeux de Malkhev étincellaient de courage tandis que la horde d'orcs l'encerclait, au milieu des arbres de la forêt millénaire de Nédandriak..."

"...la lame magique de Varduil, sa fidèle épée, eut rapidement raison de la première vague de ces terribles monstres."

Aw, oh non, les vilains ont capturé son compagnon le dragon aux écailles d'argent!

Mais que va-t-il se passer?

T'as fouillé dans mon bureau...

C'est tu trop demander d'avoir un peu d'intimité dans c'te maison-là?!

Je t'ai déjà niaisée devant tes amis quand tu t'es mise à la joalerie en bouchons de bouteilles de liqueur, au tricot expérimental ou quand t'as eu ta phase "portraits postmodernes" en plasticine?

Ça s'est très bien vendu aux Puces Pop l'an passé!

Jenny...

Hey!

LÂCHE ÇA!

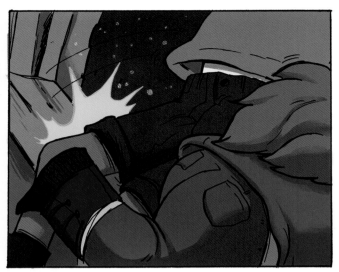

Uuuh, j'avais pas prévu ça...

Méchante chute!

Une chance que y'a une belle couche de neige fraîche.

Grah...

Oh arrête de te plaindre Jenny, on en serait pas là si t'avais pas été si chiante.

...

Il a ben le droit d'écrire ce qu'il veut, Marco. C'est pas de tes oignons!

Personne me donne de leçon...

PERSONNE!!

Laisse ma chum tranquille, espèce de vieille harpie mal habillée!

Hey!

Yo Flavie! Le party est ici, pas dehors!

En passant, comment vont mes livraisons?

Très bien, comme tu peux le constater!

Flavie! Ses ongles sont venimeux, fais attention! Laisse-la pas te toucher!

Si seulement j'avais su avant...!

Ça change la donne un peu, ça!

Ah!

Ça t'en aura pris du temps à t'en rendre compte!

PLAF

Goddamn...

OOF!!

T'es pesante!!

AAAAAAAAAAA—

PA-K-RAK!

Ta blonde a un problème.

Mph.

RAAAH! XRK!

POK

ÇA VA FAIRE!!

ME FAIRE FÂCHER, C'EST PAS UNE BONNE IDÉE!!

Bouge pas, sinon le cahier va y goûter! Je niaise pas!

T'es mal placée pour me faire des menaces! Si tu maganes une page, je...

... je...

...Ben, "je" quoi? Pas trop inspiré comme come back!

Pas le guts de venir mettre tes belles paroles à exécution?!

...

C'est ça, retourne dans ton hangar, tu l'sais que t'as aucune chance!

Allez, salut p'tite peur—

KLANG!

CRASH

Éloignez-vous des fenêtres!!

Le cahier...!

G-g..aaah...

SSSS

FLAVIE!

Flavie...
tes mains!

J'ai vraiment
chaud tout
d'un coup...

Ça va
aller...

Chapitre 4
Le sang chaud

73

Beeeuuuh...

Des mitaines de four pleines de neige...

Ils ont cassé et repris quatre fois depuis ce matin, donc oui, tout est revenu à la normale.

J'en conclu par les cris stridents que Jenny va bien.

Bon, où on en était?

Oh!

Flavie, t'es réveillée!

Comment tu te sens? Tes mains? J'étais super inquiet!

Bien dormi au moins?

Ça va, grâce à vous deux! J'aurais pu être pas mal plus poquée à matin...

C'est Léonie qui a eu l'idée de te mettre les mains dans la neige. Moi j'savais pas quoi faire pantoute...

Arrête! T'as fait sortir tout le monde en deux minutes, c'est pas rien!

J'ai écrit un post sur mon blogue qui disait qu'Arcade Fire se reformait avec leur lineup original et donnait un concert surprise dans le sous-sol du Jean-Coutu sur Parc. Tous leurs hits d'avant leur virage nu metal.

Hahaha, génie!

J'ai jamais vu un party se vider de même!

Mais là, moi je veux savoir ce qui t'es arrivé hier. J'ai vu des gens irradiés, mais jamais comme ça.

Bah, c'est rien là... Ça fait même plus mal.

Arrête de faire ta tough, Flavie Beaumont. Tu lui dois au moins une explication.

Je l'sais que tu veux pas voir un médecin de peur de devoir quitter la ville, mais hier, c'était grave.

Mph...

Apparemment, j'ai un métabolisme survolté. Quand je m'énerve, que je roule sur l'adrénaline et que j'ai le rythme cardiaque qui augmente, mon sang se met à chauffer. J'ai littéralement le sang trop chaud.

Voilà.

Ah! Et c'est pour ça que t'avais pas froid quand on était dehors?

Ouais. J'pense que c'est une forme d'adaptation à la température extérieure.

Mais je peux pas prévoir quand ça va dégénérer, comme hier.

On s'entend que t'as toujours eue un tempérament un peu bouillant, hein.

Eille.

C'est quand même pas si pire...

Hahaha!

On peut pas t'en vouloir d'avoir pété ta coche contre Jenny. Elle a une façon particulière de faire fâcher pas mal tout le monde.

Bon ben moi je dois y aller. J'vais aller bouffer quelque part, j'ai vraiment faim!

Oh! On devrait aller déjeuner! Qu'est-ce t'en penses, Flavie?

Du bacon!!

Et où on va trouver une place qui sert à déjeuner le jour de la St-Jean, à deux heures de l'après-midi?

Bon point.

Je connais le cook chez Fabergé, il va nous arranger ça, j'vous jure.

Si faire le party te donne accès à des déjeuners illimités, je commence à approuver ton mode de vie.

Content de te l'entendre dire!

Au fait, as-tu récupéré ton cahier?

Ouais. Il est magané mais tout est là. Il était si bien caché en plus!

Ça s'fait pas, fouiller dans les affaires des autres de même, franchement.

...
...
...

Oh.

Allo.

C'est ça.

Allez, pense au bacon. C'est ça.

'Z'ètes des femmes adultes là, quand même!

Le calme après la tempête...

Faut avouer que c'est quand même beau.

Qu'est-ce que tu vas faire quand la Ville va arrêter de déneiger jusqu'ici?

Bah, on verra rendu là. Je m'en fais pas trop, honnêtement.

J'suis pas déménagé de la banlieue à Montréal pour rien. Hiver interminable ou pas, moi j'ai l'intention de rester ici pour un maudit bout.

Bien dit!

Si t'arrives plus à sortir de chez vous à cause des bancs de neige, on ira te livrer des bagels.

Deal!

CIAO!

BRRR

Ça veut dire que tu veux plus changer de job, finalement?

Nope!

Je changerais c'te vie-là pour rien au monde!

LA
FAUNE DE
MONTRÉAL

Guide illustré amateur et autres observations

MOINEAU À PATTES VERTES
PASSER VIRIDIBUS

- Adorables mais vraiment bruyants...

CHAT SAUVAGE NORDIQUE
- Prédateur nocturne

PIGEON À LONGUE QUEUE
COLUMBA CAUDUS

- Merde corrosive!!

- Fait des trous dans tous les matériaux

MARCO CASTELLO

- Habitat : Cafés, librairies, bistros

- Nombre de shows vus dans la dernière année: 268

- Ne paies plus ses cafés dans 46 établissements

FLAVIE BEAUMONT

- Peut lever son poids 3 fois

- Température corporelle: 44.5 C

LEONIE MARTIN

- 3587 amis sur Facebook

- "Célibataire" mais ça veut rien dire, hein?

- Végétarienne, à part pour les shish taouks

JENNY WILLIAMS

- Répartition géographique: le Mile-End. C'est tout.

- Alimentation: cigarettes, café et vin de dépanneur

Premier sketch de Flavie!

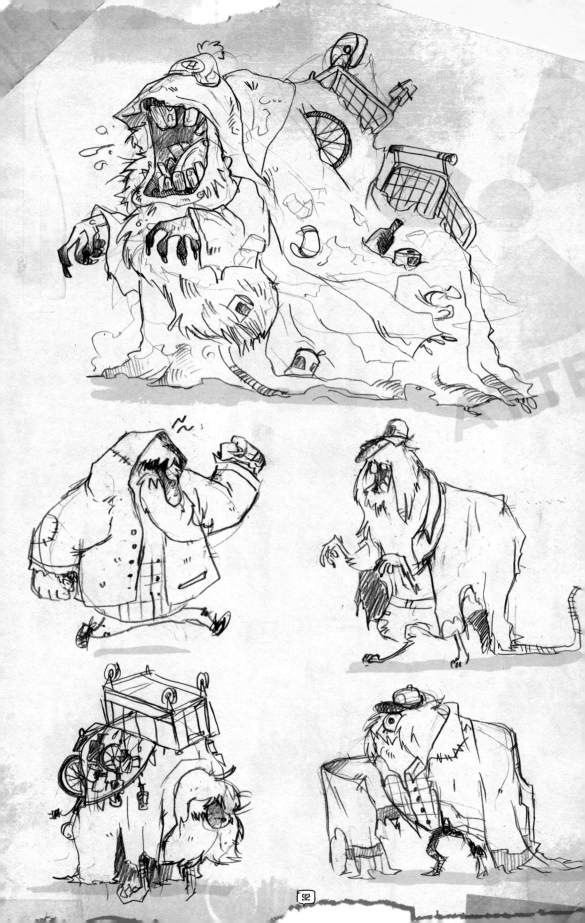

Merci d'avoir acheté ce livre.

Merci à nos familles et à nos amis qui nous ont supportés, dans tous les sens du terme.

Merci, pour leur précieuse aide, à Dominique Carrier, Kathleen Messier, Rosanne Labelle, Olivier Jobin, Alexandra Richard, Frédéric Boutin, Laurent Boutin et Serge LaPointe.

Merci à notre imprimeur, Marquis Imprimeur, qui se préoccupe avant tout de la qualité de notre projet.

Un gros merci à Samantha Leriche-Gionet, Philippe Meilleur, Mike Ditchburn, Julien Paré-Sorel et Gautier Langevin. Merci à tous mes amis, à la gang de Front Froid et du Studio Lounak, à ma famille (à mon père, mon consultant en ski-doo) et à tous ceux qui m'ont lu et encouragé sur Internet.

Hiver Nucléaire a été publié sous la direction de Gautier Langevin

Conception graphique et mise en page : Olivier Carpentier

Révision orthographique et linguistique: Dominique Carrier et Gautier Langevin

Ce livre a été réalisé grâce à la participation financière de la Conférence régionale des élus de Montréal, du Conseil des arts et des lettres du Québec et du Forum Jeunesse de l'Île de Montréal, via le programme *Outiller la relève artistique de Montréal*.

Anticyclone est un concept des éditions Front Froid

© 2014 Caroline Breault
Montréal (Québec)

Dépôt légal – 3e trimestre 2014
Bibliothèque et Archives nationales du Québec
Bibliothèque et Archives Canada

ISBN 978-2-924455-00-5

Quatrième édition

Imprimé au Canada par
Marquis Imprimeur